De Geh[illegible] Boekenbende

Carla van Kollenburg

met tekeningen van Jeska Verstegen

Zwijsen

1e druk 2011
ISBN 978.90.487.0833.8

Tekst: Carla van Kollenburg
Illustraties: Jeska Verstegen

Vormgeving: Rob Galema

Voor België:
Uitgeverij Zwijsen.be, Antwerpen
D/2011/1919/68

Inhoud

1. Bezoek

'Emma, weet jij waar de Boekenbende is?' vroeg Tijn.
Hij stond op het schoolplein en keek vragend naar zijn buurmeisje, dat ondersteboven aan het klimrek hing.
'Ik weet niet eens wat een Boekenbende is,' zei Emma, terwijl ze haar handen op de grond zette en met een sierlijke halve salto weer rechtop ging staan.
'Juf Susan begint een club voor kinderen die graag lezen,' legde Tijn uit. 'Daar hebben we allemaal een infobrief over meegekregen, jij ook. De Boekenbende komt elke maandagmiddag bij elkaar, meteen na school. Maar ik weet niet wáár ze afspreken.'
Emma veegde haar handen af aan haar spijkerbroek.
'Als het over boeken gaat, zal het wel in de schoolbibliotheek zijn,' meende ze.
Tijn vond het ongelofelijk dom van zichzelf dat hij dat niet had bedacht en rende snel naar de hoofdingang van de school.
Naast de brede deuren, op het raam van de bibliotheek, hing een poster: *Kom bij de Boekenbende!*
'Wacht, ik ga met je mee!' klonk Emma's stem.
Verbaasd draaide Tijn zich om.
'Jij leest nooit,' zei hij. 'Jij kijkt de hele dag televisie.'

'Tegenwoordig niet meer,' antwoordde Emma treurig. 'Ik mag voortaan pas 's avonds kijken. Overdag moet ik van mijn moeder buiten spelen. Maar naar de Boekenbende gaan vindt ze vast ook wel goed.'
'Kom mee dan,' zei Tijn.

De muren van de schoolbibliotheek waren bedekt met hoge boekenkasten, en in het midden van het lokaal stond een grote tafel vol tijdschriften en kranten.
Aan die tafel zat juffrouw Susan, samen met twee kinderen die Tijn alleen van gezicht kende.
'Dag Tijn en Emma, fijn dat jullie ook meedoen,' zei juf Susan. 'Lusten jullie limonade en een koekje? We gaan onszelf aan elkaar voorstellen door te vertellen wat we graag lezen.'
Juffrouw Susan gaf zelf het goede voorbeeld.
'Ik ben juf Susan,' vertelde ze. 'Op school lees ik vaak sprookjes voor, en thuis lees ik het liefst romantische boeken over de liefde.'
Toen was de jongen naast juf Susan aan de beurt.
'Mijn naam is Rutger,' zei hij. 'Dat is een Germaanse naam en die betekent 'roemvolle strijder', maar dat klopt niet, want ik hou helemaal niet van vechten. Ik lees vaak over dingen die echt gebeurd zijn en ik zoek veel op op internet, want ik weet graag alles.'
Na deze uitleg stelde het meisje zich voor.
'Ik heet Samira,' vertelde ze. 'Volgens mijn zus ben ik letterverslaafd omdat ik altijd lees, zelfs verpakkingen en kassabonnen. Ik schrijf trouwens ook

graag. Zal ik opschrijven wat we vandaag doen en afspreken?'
Juf Susan knikte. 'Dat is een geweldig idee, Samira. Volgende week komen er nog meer kinderen. Zij kunnen dan van tevoren jouw aantekeningen lezen. Nu ben jij aan de beurt, Tijn.'
Op dat moment stak de conciërge zijn hoofd om de deur en meldde dat er telefoon was voor juffrouw Susan.
'Ik ben over drie minuten terug,' beloofde juf Susan, terwijl ze het lokaal uit liep. 'Misschien wil Tijn intussen alvast vertellen welke boeken hij leuk vindt?'
De deur ging dicht en drie gezichten draaiden zich vol verwachting naar Tijn.
'Ik lees graag spannende boeken,' zei Tijn snel. 'En griezelige boeken waar je ook om kunt lachen. Nu is Emma aan de beurt.'
Voordat Emma iets kon zeggen, zwaaide de deur van de schoolbibliotheek echter plotseling weer open.
Een oude heer met lang, grijs haar stond in de deuropening. Hij zag er moe en een beetje verwilderd uit, alsof hij een lange reis achter de rug had.
'Zijn jullie de Boekenbende?' vroeg hij ernstig.
De kinderen knikten.
'Dit is *Het Laatste Boek*,' zei de bezoeker, die nu binnenstapte en plechtig een boek op de tafel legde.
'De struikrovers en nachtheksen achtervolgen me al weken om het te vernietigen. Ik smeek jullie: red het verhaal en zijn verzinsels van de vergetelheid.

Alleen een Boekenbende is daar nu nog toe in staat. Ik reken op jullie!'
Toen verliet de oude heer de bibliotheek weer net zo onverwachts als hij gekomen was, de kinderen stomverbaasd achterlatend.

2. Warrig

Samira was de eerste die de stilte verbrak.
'Die oude meneer had het toch over nachtheksen, niet over acht heksen, hè?' vroeg ze. 'Anders heb ik het verkeerd opgeschreven.'
Emma en Rutger hadden ook nachtheksen verstaan, maar Tijn gaf geen antwoord. Hij wilde de vreemde bezoeker om meer uitleg vragen en rende hem achterna. Toen de gang al verlaten bleek, liep Tijn naar het raam en zette dat wagenwijd open. Naar buiten leunend speurde hij het schoolplein en de straat af, maar de oude heer was nergens meer te bekennen.
Wie was die grijsharige man? Wat wilde hij van hen?
'Ik heb alles wat hij zei, opgeschreven,' meldde Samira trots. 'Ik kan erg snel schrijven, omdat ik daar iedere dag op oefen. Willen jullie mijn aantekeningen lezen?'

Wat de oude meneer zei:
Dit is Het Laatste Boek.
De struikrovers en nachtheksen achtervolgen me al weken om het te vernietigen.
Ik smeek jullie: red het verhaal en zijn verzinsels van de vergetelheid.
Alleen een Boekenbende is daar nu nog toe in staat. Ik reken op jullie!

'Volgens mij is die meneer gewoon in de war,' zei Emma. 'Oude mensen raken wel vaker in de war, net zoals onze overbuurvrouw.'
Tijn knikte aarzelend. Mevrouw Bloems, die tegenover hen woonde, deed inderdaad soms vreemde dingen. Ze vergat constant je naam en met Pasen had ze een versierde kerstboom in haar huiskamer gezet.
Dat iemand hun Boekenbende om hulp kwam smeken, was natuurlijk ook vreemd. Toch geloofde Tijn niet dat je die oude heer kon vergelijken met mevrouw Bloems. Hij had helemaal niet warrig geleken, eerder wijs en verstandig.
'Heksen bestaan niet,' zei Rutger. 'Struikrovers waren er vroeger wel, maar dat noemen ze nu straatrovers, en die willen geld, geen boeken.'
Daar moest Tijn Rutger gelijk in geven.
Oude heren werden op straat heus niet achtervolgd door heksen en struikrovers die hun leesboeken wilden afpakken. Het was nogal onzinnig om zoiets te geloven.

'Daar ben ik weer,' zei juf Susan. Ze kwam gehaast de schoolbibliotheek binnenstappen en ging snel op haar stoel zitten.
'Ik hoop dat ik niks belangrijks heb gemist,' zei ze met een glimlach. 'Van Tijn hebben jullie vast al gehoord dat hij dol is op spannende boeken. Heeft Emma zich ook al voorgesteld?'
Emma schudde haar hoofd. 'Dat wilde ik net doen, maar toen ...'

Opnieuw werd Emma onderbroken door onverwacht bezoek.
Voor het openstaande raam verschenen twee woest uitziende kerels, met ongekamde haren en harde stemmen.
'Hé, laffe lanterfanter!' riep de dikste van de twee door het raam naar binnen. 'Kom uit je schuilplaats tevoorschijn. Dan kunnen we *Het Laatste Boek* eindelijk in stukken scheuren!'
Geschrokken draaide juf Susan zich om en zag de beide mannen op het schoolplein staan.
'Dit kan niet,' stamelde ze geschokt.

3. Woestelingen

Tijn schrok van de woeste kerels die hun zware stemmen door de schoolbibliotheek lieten galmen. Hij begreep onmiddellijk dat ze op zoek waren naar de heer met het grijze haar. Blijkbaar hadden zij hem de school in zien gaan en dachten ze dat hij nog steeds in het gebouw was. Er waren dus wel degelijk mannen die *Het Laatste Boek* wilden vernietigen!
Met een snelle beweging schoof Tijn een krant over het boek. Hopelijk hadden ze het nog niet zien liggen.
Gelukkig, die schreeuwers hadden niks in de gaten. Ze probeerden nu met hun grote lijven door het raam naar binnen te klauteren. Dat ging extra lastig omdat ze allebei de eerste wilden zijn.
'Opzij voor de bendeleider!' riep de dikste. 'Ik klim naar binnen om *Het Laatste Boek* uit de handen van die zwendelaar te rukken!'
'Uit de weg voor de hoofdman!' riep de langste. 'Ik zal *Het Laatste Boek* naar Duisterwoud brengen en het verbranden op ons vreugdevuur!'
De twee woestelingen begonnen aan elkaars kleren te trekken, op elkaars hoofd te slaan en tegen elkaars schenen te schoppen.
'Druiloor!' schreeuwde de dikste. 'Ik ben de baas!'
'Niet waar, onnozelaar!' bulderde de langste. 'Ze

hebben mij tot aanvoerder gekozen!'
De kinderen keken stilletjes toe, geschrokken van al dat geweld. En ook juf Susan deed niets om de ruziemakers uit elkaar te halen.
Gelukkig kwam op dat moment de directeur terug van een belangrijke vergadering.
Meneer Theo stapte uit zijn auto en keek verbaasd naar de twee mannen die ruziemaakten voor het raam van de schoolbibliotheek.
Met snelle passen liep hij op de woestelingen af.
'Wat is hier aan de hand?' vroeg hij bars. 'Dit soort gedrag is niet toegestaan op onze school, en zulke taal is ook ten strengste verboden. Hier gelden fatsoenlijke gedragsregels voor iedereen. Voor de kinderen, voor de leerkrachten, voor de ouders en ook voor, voor ...'
De directeur twijfelde even. '... en ook voor vreemde heren die op ons schoolplein ruziemaken,' maakte hij zijn zin toen af. 'Wat doet u hier eigenlijk?'
De wildemannen stonden inmiddels stilletjes naast elkaar en staarden schuldbewust naar hun laarzen.
'Het spijt ons erg, meneer,' zei de dikste zacht.
'Wij zijn op zoek naar een nietsnut die een boek heeft dat wij willen verscheuren en verbranden,' legde de langste beleefd uit.
Dat vond meneer Theo helemaal geen goed idee.
'In mijn school zitten geen nietsnutten,' zei hij beslist.
'Hier wordt samen geleerd, gespeeld en gewerkt. En wij zijn altijd zuinig op boeken, zowel op die van

onszelf als op die van anderen. Begrijpt u dat?'
De twee mannen knikten.
'Mooi zo,' zei de directeur tevreden. 'Dan verzoek ik u nu het schoolplein te verlaten, zodat juffrouw Susan rustig verder kan met haar Boekenbende.'
De dikste ruziemaker haastte zich naar de schoolpoort en de langste volgde hem. Eenmaal op straat zetten ze het samen op een lopen, en ze waren al snel uit het zicht verdwenen.
'Dat is beter,' zei de directeur. Hij knikte vriendelijk naar juf Susan en de kinderen en liep vervolgens de school binnen, op weg naar zijn volgende afspraak.
In de bibliotheek draaiden de kinderen van de Boekenbende zich alle vier naar juffrouw Susan.
'Wij weten wat die mannen zochten, juf!' zei Tijn opgewonden. 'Toen u daarnet even weg was ...'
Maar juffrouw Susan liet Tijn niet uitpraten. Het leek zelfs alsof ze hem helemaal niet gehoord had.
'Het spijt me verschrikkelijk, maar ik moet weg,' zei ze gespannen, terwijl ze haastig opstond en haar tas pakte. 'Ik moet echt onmiddellijk naar huis. Volgende week maandagmiddag zien we elkaar wel weer na schooltijd!'
En halsoverkop verliet juf Susan de schoolbibliotheek.

4. Glittergoud

'Nou ja, zeg!' zei Emma verontwaardigd toen de deur achter juffrouw Susan dichtviel. 'De juf begint zelf een Boekenbende en als er dan allerlei spannende dingen gebeuren, gaat ze er opeens vandoor.'
Tijn was inmiddels naar het openstaande raam gelopen en deed dat zorgvuldig dicht voor het geval de woestelingen terug zouden komen.
'Die oude meneer was helemaal niet in de war,' zei hij. 'Die gevaarlijke kerels willen het boek dat hij ons heeft gegeven echt vernietigen.'
Samira knikte instemmend. 'Ik heb opgeschreven wat ze riepen,' zei ze.

Wat de mannen riepen:
De dikke: 'Ik klim naar binnen om Het Laatste Boek uit de handen van die zwendelaar te rukken!'
De lange: 'Ik zal Het Laatste Boek naar Duisterwoud brengen en het verbranden op ons vreugdevuur!'

Tijn tilde de krant op, die hij daarnet snel over het geheimzinnige boek had geschoven. 'Dit is *Het Laatste Boek* helemaal niet,' zei hij verbaasd. 'Dit boek heet *Ridder Rowan in Duisterwoud*.'

Samira pakte het boek uit Tijns handen.
'Dit is een kinderboek dat geschreven is door A.F. Bos,' stelde ze vast. 'En uitgeverij Toenmaals heeft het boek laten drukken en aan boekwinkels verkocht.'
Daarna draaide Samira het boek om en bekeek de achterkant.
'Hier staat kort beschreven waar het verhaal over gaat,' zei ze. 'Ik zal het even voorlezen.'

Struikrovers hebben de schatkist van het koninkrijk leeggeroofd.
Ridder Rowan krijgt opdracht het glittergoud terug te halen. Als hij daarin slaagt, mag hij met de mooie prinses trouwen.
Zijn zoektocht brengt ridder Rowan naar Duisterwoud en het zwarte kasteel waar de lelijke nachtheksen wonen.
Zal ridder Rowan erin slagen het goud te vinden en de schatkist weer te vullen?

'Is dit *Het Laatste Boek* of heeft die oude meneer ons per ongeluk het verkeerde boek gegeven?' vroeg Tijn zich hardop af.

5. Struikrovers

De kinderen van de Boekenbende besloten nog een koekje te pakken en opnieuw limonade in te schenken.
Emma vond dat ze wel iets lekkers hadden verdiend na alle vreemde gebeurtenissen van het afgelopen halfuur.
Een oude heer die hun een boek in bewaring gaf, twee woestelingen die dat boek wilden verbranden en een juffrouw die er plotseling vandoor ging. Dat was niet niks voor een eerste bijeenkomst van een boekenclub.
'De Boekenbende duurt officieel tot vijf uur,' zei Rutger. 'Tot die tijd kunnen we hier rustig blijven zitten, maar daarna zal de conciërge de schoolbibliotheek wel willen afsluiten.'
Emma bestudeerde de illustratie op de voorkant van het geheimzinnige boek terwijl ze het koekje op haar gemak opat.
'Ik weet dat het niet kan,' zei ze met haar mond vol. 'Maar die twee griezels die daarnet op het schoolplein samen ruzie stonden te maken, horen eigenlijk in dit boek thuis.'
Verbaasd boog de Boekenbende zich over de kaft. Bovenaan stond in grote letters de titel: *Ridder Rowan in Duisterwoud.*
Onder die letters was een tekening te zien van een

stoere ridder die naar een zwart kasteel in de verte keek.
'Dat zal het kasteel van de nachtheksen wel zijn,' meende Samira.
Links van de stoere ridder stond een grote struik. En achter die struik zaten twee gevaarlijk uitziende mannen die de ridder stiekem in de gaten hielden.
'Dat zijn natuurlijk de struikrovers,' begreep Rutger.
Emma knikte. 'Bekijk die rovers nu eens heel goed,' zei ze. 'En let vooral op hun gezichten.'
'Je hebt gelijk!' riep Tijn verbluft. 'Dit zijn echt die twee mannen die daarnet door het raam naar binnen wilden klimmen.'
Er was inderdaad geen enkele twijfel mogelijk. Niet alleen de ongekamde haren en de grote laarzen, maar ook de woeste gezichten klopten precies.
'Ik zal dit in de aantekeningen schrijven,' zei Samira. 'Dan kunnen we het volgende week aan juf Susan laten lezen en vragen wat zij ervan denkt.'
'Volgende week?' riep Emma geschokt. 'Je denkt toch zeker niet dat we een hele week gaan wachten? We moeten nu meteen iets doen!'
Tijn was het met zijn buurmeisje eens.
'Die oude meneer heeft onze Boekenbende gesmeekt *Het Laatste Boek* te redden, dus is het onze plicht dat ook echt te doen!' zei Tijn vol vuur. 'En aangezien er twee struikrovers uit een boek rondlopen die *Het Laatste Boek* willen verscheuren en verbranden, kunnen we niet gaan zitten wachten tot juf Susan eindelijk weer tijd heeft!'

‘Het is net alsof ik in een spannende film meespeel,’ zei Emma genietend. ‘Deze Boekenbende is nog leuker dan televisiekijken.’
De grote vraag was natuurlijk wat de kinderen konden doen om *Het Laatste Boek* te redden.
‘Ik vind het allemaal erg spannend,’ zei Rutger bezorgd. ‘Volgens mij moeten we de directeur om hulp vragen.’
Dat vond iedereen een erg goed idee.
Meneer Theo had de twee struikrovers zelf van het schoolplein gestuurd omdat ze vochten en elkaar uitscholden. Hij zou hen meteen herkennen op de kaft van het boek en zou vast wel weten wat er nu moest gebeuren.
Meneer Theo was per slot van rekening niet voor niets directeur geworden!

6. DGB en HLB

De deur van het kantoor van meneer Theo was dicht. 'Voor iets belangrijks mag je hem altijd storen,' meende Emma, terwijl ze op de deur klopte.
'Binnen,' klonk de stem van meneer Theo.
De directeur zat achter zijn bureau en keek de kinderen vragend aan.
Tegenover hem zaten een dame en een heer die er erg belangrijk uitzagen. Ze draaiden zich om en leken het helemaal niet leuk te vinden dat hun gesprek werd onderbroken.
'Is er iets dringends?' vroeg meneer Theo. 'Iets wat echt niet kan wachten?'
Emma knikte en stapte het kantoor binnen, met het boek in haar handen. De andere Boekenbendeleden liepen aarzelend achter haar aan.
'Toen wij in de schoolbibliotheek zaten, heeft een oude meneer ons dit boek gegeven,' vertelde Emma. 'Hij werd achtervolgd door nachtheksen en struikrovers die het boek wilden stelen. En omdat wij een Boekenbende zijn, vroeg hij ons om ...'
'Luister!' viel meneer Theo haar in de rede. 'Ik vind het een geweldig plan van juffrouw Susan om een Boekenbende te beginnen. Het is van groot belang dat kinderen genieten van lezen, taal en verhalen.'
De dame en heer knikten instemmend. Zij vonden dat blijkbaar ook belangrijk.

'Maar ik heb nu echt geen tijd voor boekenspelletjes,' vervolgde meneer Theo. 'Ik ben in gesprek, dus jullie moeten een andere keer terugkomen.'
'Dit is geen spelletje,' zei Emma beledigd. 'Die twee struikrovers stonden daarnet op ons schoolplein. U hebt ze zelf weggestuurd. Kijk maar op de kaft van dit boek, dan herkent u ze wel.'
Maar meneer Theo wilde het boek helemaal niet zien. Hij keek Emma geërgerd aan en zei met zijn strengste stem: 'Jullie gaan nu onmiddellijk naar de schoolbibliotheek en komen een andere keer terug, wanneer ik *niet* in gesprek ben!'

'Aan grote mensen heb je echt helemaal niks!' mopperde Emma toen ze weer in de bibliotheek zaten. 'Eerst gaat juf Susan veel te vroeg naar huis, en nu stuurt meneer Theo ons gewoon weg!'
'Hij gelooft ons niet,' zei Samira schouderophalend. 'Ik denk eerlijk gezegd dat geen enkele volwassene ons verhaal zal geloven.'
'Mij zullen ze zeker niet geloven,' meende Rutger. 'Ik denk altijd dat ik inbrekers hoor of dat er een kinderlokker in mijn kleerkast zit. Dus als ik over struikrovers begin, lachen ze me alleen maar uit.'
Tijn knikte. In een situatie als deze had je waarschijnlijk gewoon niks aan volwassenen. Misschien had de oude heer daarom de kinderen van een Boekenbende om hulp gevraagd.
'Dit is onze geheime opdracht!' zei hij vastbesloten. 'We vertellen er niemand iets over en maken iedereen wijs dat we hier rustig over boeken hebben

gepraat.'
Tijn pakte het boek over Duisterwoud van tafel en stak het met een plechtig gebaar omhoog.
'Maar in werkelijkheid zijn wij voortaan De Geheime Boekenbende,' vervolgde hij. 'Wij zullen *Het Laatste Boek* redden zonder hulp van volwassenen!'
Samira maakte ijverig aantekeningen.
'Ik schrijf het op met afkortingen,' zei ze. 'Dat schrijft sneller en het is meteen geheimtaal wanneer iemand onze aantekeningen leest.'

Geheime afspraak:
Wij zijn de DGB en zullen HLB zelf redden, zonder hulp van volwassenen!

'Wie heeft er thuis een goede verstopplek voor het boek?' informeerde Emma. 'Dus niet onder je bed of zoiets gemakkelijks, maar een echt bijzondere verstopplek waar niemand zal zoeken.'
'Ik,' zei Tijn. 'En ik vertel die verstopplek ook niet aan jullie, zodat jullie hem niet kunnen verraden als de struikrovers jullie te pakken krijgen.'
En dat vond Rutger helemaal geen leuke opmerking.

······

7. Rommel

Tijn deed het boek (dat misschien *Het Laatste Boek* was) voorzichtig in zijn rugzak.
Het was al een oud boek, dat kon je duidelijk zien aan de vergeelde kleur van de kaft en de bladzijden. Stel je voor dat hij HLB per ongeluk zou beschadigen. Dat zou verschrikkelijk zijn, want als DGB was het juist hun taak dit boek te beschermen.
'Juffrouw Susan is haar agenda vergeten,' zei Samira. Ze wees naar een blauw notitieboekje dat op de tafel lag.
'Ik gooi hem wel even in haar brievenbus,' zei Emma. 'Tijn en ik komen er toch langs als we naar huis lopen.'
Tijn knikte. Juffrouw Susan woonde in een appartement om de hoek, nog dichter bij school dan Emma en hij.
'Ik moet nu echt weg,' zei Rutger. 'Ik heb mijn vader beloofd om om vijf uur bij de schoolpoort te staan.'
Tijn tilde zijn rugzak op. 'Morgenochtend komen we hier weer bij elkaar,' besliste hij. 'We komen vroeger naar school en zeggen dat we in de bibliotheek moeten werken aan een opdracht voor de Boekenbende. In het echt gaan we natuurlijk verder als DGB.'
Met die afspraak gingen de kinderen uit elkaar.

‘Weet jij op welk nummer de juf woont?’ vroeg Tijn toen hij en Emma de hoek om gingen en op het appartementengebouw afliepen.
‘Op nummer vijfendertig,’ antwoordde Emma.
‘Dat is dat appartement met al die planten op het balkon.’
‘Zullen we even aanbellen en de agenda gewoon aan haarzelf geven?’ stelde Tijn voor.
Tijn maakte zich een beetje zorgen om juffrouw Susan. Waarom was ze zo plotseling vertrokken?
Het was natuurlijk mogelijk dat ze zich opeens ziek had gevoeld, zoiets kon gebeuren.
Haar haastige vertrek kon echter ook iets te maken hebben met die twee struikrovers.
Iedereen was geschrokken van die twee schreeuwende mannen voor het raam, maar de juf misschien nog wel erger dan Rutger.
‘Ik bedenk net dat mijn lievelingsserie bijna begint,’ zei Emma. ‘Als ik mijn moeder vertel dat ik lid ben geworden van de Boekenbende is ze vast blij, want ze zeurt altijd dat ik meer moet lezen. Dus als ik daarna lief vraag of ik alvast televisie mag kijken ...’
Emma gaf de agenda van juf Susan haastig aan Tijn.
‘Als jij hem aan juf Susan geeft, ren ik vast naar huis!’ zei ze, en ze ging er snel vandoor.

De benedendeur van het appartementengebouw stond wijd open. Tijn volgde de bordjes, liep de trap op naar de voordeur van nummer vijfendertig en drukte op de bel.
Hoewel de bel buiten duidelijk te horen was, kwam

er niemand opendoen.
Ongerust belde Tijn nog eens aan.
Zouden de struikrovers juf Susan gevolgd zijn naar haar appartement, omdat ze dachten dat zij *Het Laatste Boek* had?
Die akelige gedachte bezorgde Tijn koude rillingen.
Gelukkig ging op dat moment de voordeur eindelijk open.
'Goedemiddag Tijn,' zei juffrouw Susan verrast.
'Wat kom jij doen?'
De juf zag eruit alsof ze het nogal warm had en haar haren zaten helemaal in de war.
'U bent uw agenda vergeten,' zei Tijn, en hij gaf haar het blauwe notitieboekje terwijl hij een verbaasde blik wierp in de bijzonder rommelige huiskamer van juf Susan.
De bank, de stoelen en zelfs de vloer lagen vol slordig neergegooide boeken. Het was echt een enorme bende.
'Let maar niet op de troep,' verontschuldigde juffrouw Susan zich. 'Ik zoek een boek dat ik als kind graag las en nu nergens meer kan vinden. Lief dat je mijn agenda even kwam brengen, maar ik ga nu snel weer verder zoeken.'
En toen deed juf Susan de deur voor zijn neus dicht.

8. Nachtheksen

Die avond in bed knipte Tijn stiekem zijn leeslampje aan en haalde het boek uit zijn rugzak tevoorschijn.
Tijn was blij dat hij een sterke vader had die
minstens zo bars kon bulderen als meneer Theo.
Mochten de struikrovers hun huis binnen willen
klimmen, dan zou zijn vader hen onmiddellijk
wegsturen.
Totdat er zoiets gebeurde, hoefden zijn ouders echter niks van HLB te weten.
Tijn bladerde door het boek in de hoop ergens de
woorden *Het Laatste Boek* te zien staan, maar kwam
deze nergens tegen.
Op pagina twaalf las hij een stukje van het verhaal.

'Ridder Rowan, uw heldendaden zijn beroemd,'
zei de koning. 'U hebt de gevaarlijke waterdra-
ken verslagen en de keizerin van de IJzige Bergen
gered.
Als u er nu ook in slaagt het gestolen glittergoud
terug te brengen, mag u mijn jongste dochter
huwen.'

Het leek Tijn wel stoer om een ridder te zijn, maar

met een vreemde prinses trouwen vond hij nogal stom.
Tijn bladerde verder en las een paar pagina's verderop weer een stukje.

In de verte zag ridder Rowan de donkere torens van het zwarte kasteel, waar de nachtheksen woonden.
Tijdens zijn strijd tegen de waterdraken had ridder Rowan veel verhalen over de nachtheksen gehoord.
Volgens die verhalen waren nachtheksen zo lelijk als de nacht en zo snel als de maneschijn. Wanneer zij door de duisternis vlogen, hoorde je alleen het geritsel van hun bezemstelen.
Hoewel nachtheksen nooit groter dan vijftien centimeter werden, waren zelfs de dapperste mannen bang voor hen.

Tijn bladerde door het boek op zoek naar een tekening van de nachtheksen.
Hoewel er duidelijke plaatjes van ridder Rowan, de koning, de struikrovers en de prinses in het boek stonden, had de tekenaar de nachtheksen alleen als stipjes in de lucht getekend.
'Lig je nu nog te lezen?' klonk de stem van Tijns moeder. 'Over vijf minuutjes moet het licht uit!'
'Mam, hoe groot is vijftien centimeter?' vroeg Tijn.
'Ongeveer zo groot als Harrie wanneer hij op zijn

achterpootjes staat,' antwoordde mama.
Tijn knikte gerustgesteld. Harrie was zijn goudhamster. Voor zo'n klein heksje was hij heus niet bang.
Snel las Tijn weer verder.

Elke nacht vlogen de nachtheksen het kasteel uit, op zoek naar mooie dromen.
Ritselend vlogen zij huizen binnen en knisperden toverspreuken in de oren van slapende mensen.
Met hun knisperspreuken stalen de heksen mooie dromen en gaven daar nachtmerries voor in de plaats.
Vlak voordat de zon opkwam, vlogen de kleine heksen snel terug naar het zwarte kasteel. Daar bewaarden zij alle gestolen dromen in hun donkere kelder.
Hoewel de nachtheksen geen andere toverkrachten hadden, was iedereen bang voor hun knisperende droomspreuken.

Tijn schoot overeind, geschrokken van een vreemd, ritselend geluid bij het raam.
Voorzichtig stapte hij uit bed, schoof de gordijnen open, en zag een zwarte vogel opstijgen van de vensterbank en de donkere nacht in vliegen.
Met kloppend hart deed Tijn zijn raam stevig dicht.
Was het echt een vogel geweest? Of was het een nachtheks die zijn dromen wilde stelen?

Snel verstopte Tijn het boek, en hij kroop zo diep mogelijk onder de dekens.

9. Ramen dicht!

De volgende ochtend was Tijn al vroeg wakker. Hij had onrustig geslapen, omdat hij bang was dat een nachtheks zijn kamer zou binnenvliegen. Gelukkig had hij geen enge dromen gekregen.
Tijn stapte uit bed en liep naar de kooi waar Harrie zijn goudhamster in woonde.
'Goedemorgen, Harrie,' zei Tijn. 'Heb je goed op het geheimzinnige boek gepast?'
Harrie had een mooie, grote hamsterkooi. De plastic onderbak was van onderen hol, waardoor je er prima iets in kon verstoppen.
Tijn tilde de kooi een stukje op, haalde het boek eronder vandaan en stopte het weer in zijn rugzak.

'Emma is er, en wij gaan vast samen naar school!' zei Tijn een halfuur later tegen zijn moeder. 'We moeten naar de schoolbibliotheek toe voor de Boekenbende.'
Emma zag er moe uit.
'Ik heb vannacht de raarste nachtmerrie van mijn hele leven gehad,' rilde ze. 'Alle mensen die ik tegenkwam, veranderden in waterdraken die mij wilden opdrinken. Het was echt afschuwelijk!'
Tijn knikte nadenkend.
'Het was dus geen vogel, maar een nachtheks,' zei hij.

Tijn vertelde wat hij de vorige avond had gezien en gelezen. 'Toen ik mijn raam dichtdeed, is ze vast jouw slaapkamer binnengevlogen,' besloot Tijn zijn verhaal.

Samira en Rutger zaten al in de schoolbibliotheek. 'Rutger heeft iets ontdekt!' riep Samira opgewonden zodra Tijn en Emma binnenkwamen.
'Toen ik gisterenmiddag thuiskwam, heb ik meteen de schrijver A.F. Bos op internet opgezocht,' vertelde Rutger. 'Ik zag een foto van hem en die heb ik uitgeprint. Kijk eens!'
Verbaasd bekeken Tijn en Emma de foto die Rutger hun liet zien.
Er was geen enkele twijfel mogelijk: A.F. Bos was de oude heer die hun had gevraagd HLB te redden.
Op deze foto was zijn lange, grijze haar nog zwart, maar het was duidelijk dezelfde man.
'Toen heb ik A.F. Bos opgezocht op de site van de stadsbibliotheek,' vertelde Rutger verder. 'Het boek *Ridder Rowan in Duisterwoud* stond wel op hun lijst, maar er stond bij dat je het nergens meer kon lenen.'
Rutger moest even ademhalen voordat hij verder vertelde. 'Daarna heb ik de kinderboekenwinkel gebeld. Die hadden *Ridder Rowan in Duisterwoud* ook al niet. De verkoopster vertelde me dat het boek nergens meer te krijgen is. Zij had er zelf twee in de winkel, maar die zijn gestolen. En ze had er één thuis, maar die kan ze nergens meer vinden. Daarom heeft ze vorige week een stel andere winkels

gebeld, maar overal waren de boeken van ridder Rowan kwijt of gestolen. Zelfs bij uitgeverij Toenmaals zijn alle boeken van *Ridder Rowan in Duisterwoud* uit het magazijn verdwenen!'
Dat was inderdaad een belangrijke ontdekking.
'Ons boek is dus toch *Het Laatste Boek*,' begreep Emma. 'Alle andere boeken over Duisterwoud zijn weg.'
Rutger knikte. 'Waarschijnlijk hebben de struikrovers die boeken al wel gestolen en verbrand.'
'Wij hebben ook iets ontdekt,' zei Tijn, en hij vertelde over de nachtheksen in het verhaal, het geritsel bij zijn raam, en de akelige nachtmerrie van Emma.
'Wat ontzettend eng,' griezelde Samira. 'Ik heb net een lijstje gemaakt van alles wat we als DGB al te weten zijn gekomen, maar daar zal ik snel nog een vijfde punt bij schrijven!'

Wat we al weten:
1. A.F. Bos = de schrijver van het boek.
2. Het boek dat DGB nu heeft is HLB.
3. Alle andere boeken over Duisterwoud zijn verdwenen.
4. Struikrovers uit het boek bestaan echt!
5. Nachtheksen waarschijnlijk ook!
>>> Met ramen dicht slapen!!!

10. Twaalf leiders

Tijn en Emma zaten in hun eigen klas bij meester Bas.
Terwijl de meester cijfers op het bord schreef en nieuwe sommen uitlegde, dacht Tijn aan *Het Laatste Boek*.
Nu hij wist dat de oude heer A.F. Bos heette, en de schrijver was, begreep Tijn waarom hij hun gesmeekt had zijn verhaal te redden.
Voor een schrijver was het natuurlijk niet leuk wanneer zijn boek uit alle winkels en bibliotheken verdween. Dan kon niemand meer lezen wat hij verzonnen had. Zijn verhaal zou gewoon wegraken.
Maar het was wel handig geweest als de schrijver ook even had verteld hóé de kinderen zijn verhaal konden redden.
Waarom was hij eigenlijk niet naar de politie gegaan? Waarom was hij hun school binnengelopen op zoek naar hulp?
Juf Susan had een poster op het raam van de schoolbibliotheek gehangen waarop *Kom bij de Boekenbende!* stond. Daar was de schrijver vast op afgekomen. Hij had immers gezegd dat alleen een Boekenbende het verhaal nog kon redden.
Maar hoe dan? Het enige waar een Boekenbende goed in was, was lezen.
Natuurlijk, dat was het!

De schrijver had HLB aan een Boekenbende gegeven, omdat hij wilde dat zij het boek zouden lezen!

'Tijn, stop eens met dagdromen en kies een leuk leesboek uit,' klonk opeens de stem van meester Bas. 'Ik heb al twee keer verteld dat we nu vrij gaan lezen.'
Emma had haar vinger al in de lucht gestoken. 'Meester, mogen Tijn en ik alstublieft samen lezen?' vroeg ze. 'Wij zijn lid van de Boekenbende van juf Susan en we zijn bezig met een project.'
'Als juffrouw Susan iets belangrijk vindt, dan vind ik dat ook!' zei meester Bas onmiddellijk.
Twee minuten later zaten Tijn en Emma samen diep gebogen over het laatste boek van ridder Rowan.

Het zwarte kasteel van de nachtheksen stond midden in Duisterwoud, waar de struikrovers-zonder-leider zich ook al jarenlang schuilhielden. Twaalf woeste rovers sliepen samen in zes hangmatten tussen de bomen en vormden een wilde roversbende.
Al zolang de struikrovers in Duisterwoud woonden, maakten zij ruzie.
Zij wilden allen de hoofdman van de bende zijn, en vochten elke dag opnieuw om te kijken wie de sterkste en dapperste was.
Maar elke dag opnieuw bleken zij allen even sterk en even dapper te zijn.

'En even stom,' fluisterde Emma.
'Ssst, ik wil verder lezen,' fluisterde Tijn.

Wanneer de struikrovers 's avonds in hun hangmatten lagen, durfden zij nauwelijks te slapen. Buiten hoorden zij het geritsel van de rondvliegende nachtheksen.
De struikrovers waren bang voor de droomspreuken die de heksjes in hun oren konden knisperen. De rovers wilden hun mooie dromen niet kwijt en vreesden de nachtmerries die de nachtheksen er vaak voor in de plaats gaven.

'Wat zitten jullie te lezen?' vroeg meester Bas opeens verbaasd.

11. Droomkelder

Meester Bas bekeek het boek dat Tijn en Emma zaten te lezen, vol ongeloof.
'*Ridder Rowan in Duisterwoud*,' zei hij verbaasd. 'Wat ontzettend toevallig dat jullie dat lezen!'
Tijn dacht na. Gisteren hadden ze afgesproken DGB te zijn en HLB zelf te redden, zonder hulp van volwassenen. Toch leek het Tijn geen probleem dat meester Bas *Het Laatste Boek* nu zag.
De schrijver had hun gevraagd zijn verhaal te redden en waarschijnlijk was het juist goed als zo veel mogelijk mensen het boek lazen. Zolang ze maar niets zeiden over het bezoek van A.F. Bos, de struikrovers en de nachtheks, bleef hun opdracht geheim.
'Kent u dit boek ook?' vroeg Emma nieuwsgierig.
Meester Bas knikte. 'Ik heb het van mijn oma gekregen voor mijn achtste verjaardag,' vertelde hij. 'Het heeft jarenlang in mijn boekenkast gestaan, maar toen ik het een paar weken geleden opnieuw wilde lezen, was het plotseling verdwenen. Waarschijnlijk heb ik het ooit aan iemand uitgeleend en nooit meer teruggekregen. Zoiets gebeurt helaas vaker.'
Tijn en Emma keken elkaar aan. *Ridder Rowan in Duisterwoud* verdween dus niet alleen uit boekwinkels en bibliotheken. Het boek verdween net zo goed uit de boekenkast van hun eigen meester.

8 X 4 =
9 X 4 =

‘Ik wilde het boek nog eens doorbladeren, omdat ik een nachtmerrie had gehad,’ legde meester Bas uit. ‘Toen moest ik natuurlijk aan ridder Rowan denken, die in de kelder van de nachtheksen gaat slapen.’

Emma trok een raar gezicht.

‘Gaat hij daar slapen?’ vroeg ze afkeurend. ‘Dat is ook niet slim van hem. Die kelder zit vol gestolen dromen. En de nachtmerries van de nachtheksen zijn echt heel akelig, dat kan ik u wel vertellen!’

Meester Bas lachte. ‘In de kelder bewaren de heksen juist alle mooie dromen die ze hebben gestolen. Als je daar slaapt, kun je de fijne, leuke, mooie en prettige dromen van allerlei verschillende mensen zien,’ legde hij uit. ‘Het is dus juist heel slim van ridder Rowan om daar te gaan slapen!’

Tijn en Emma snapten niet wat daar slim aan was.

‘Ik verklap verder niks meer,’ zei meester Bas. ‘Straks krijg ik nog ruzie met juf Susan en dat is echt het laatste wat ik wil. Lees maar rustig verder, dan ontdekken jullie straks vanzelf wel waarom ridder Rowan in de kelder gaat slapen.’

Emma was helemaal niet van plan om rustig verder te lezen. Zodra meester Bas verder liep, bladerde ze door tot ze het stuk over de heksenkelder had gevonden.

Uitgeput van de lange reis viel ridder Rowan al snel in slaap en droomde van de kus van de mooie prinses.
Maar om hem heen ritselden en knisperden de gestolen dromen.
Plotseling droomde ridder Rowan dat hij een visser was, die een karper ving die groter was dan een olifant ...
Hij droomde dat hij een klein meisje was, dat danste in de wind en meewaaide naar de witte wolken ...
Hij droomde dat hij een keizerin was en in een japon van sneeuw op een troon van ijs zat ...
Zo ging het de hele nacht door. Ridder Rowan zag talloze dromen van mensen uit het hele land en ver daarvandaan.
Maar na de honderdste droom schoot ridder Rowan wakker en ging met een lach rechtop zitten.
In de honderdste droom was ridder Rowan een struikrover geweest, die het glittergoud verstopte onder het hooi van de roverspaarden ...

12. Vragen

Hoewel dat niet van tevoren was afgesproken, kwam de Boekenbende tussen de middag opnieuw bij elkaar.
Tijn vond voetballen opeens minder belangrijk en ging, zodra hij zijn boterhammen op had, samen met Emma naar de schoolbibliotheek.
Rutger bleek daar regelmatig de pauze door te brengen en Samira was naar hem toe gekomen om haar nieuwe aantekeningen te laten zien.

Onze opdracht:
'Ik smeek jullie: red het verhaal en zijn verzinsels van de vergetelheid.'
>> DGB moet ervoor zorgen dat HLB niet vergeten wordt.
>> Hoe? Brief sturen naar A.F. Bos om te vragen wat we moeten doen.

'Een brief sturen is een geweldig idee,' meende Rutger. 'Vanavond zoek ik op internet het adres van uitgeverij Toenmaals op. Als we de brief daarnaartoe sturen, geven zij hem wel aan A.F. Bos.'
Samira sloeg de pagina van het aantekeningenschrift om en wees op de volgende punten.

Struikrovers zeiden:
'Ik klim naar binnen om Het Laatste Boek uit de handen van die zwendelaar te rukken!' (= iemand die niet eerlijk is)
'Ik zal Het Laatste Boek naar Duisterwoud brengen en het verbranden op ons vreugdevuur!' (= vuur maken omdat je blij bent)

Vragen:
Waarom is A.F. Bos niet eerlijk?
Waarom hebben ze zo'n hekel aan een boek waar ze zelf in staan?
Helpen de nachtheksen de rovers? Of willen zij het boek juist redden?

'Goede vragen,' zei Tijn goedkeurend.
'Wij hebben ook nog twee nieuwtjes,' vertelde Emma. 'Meester Bas heeft het boek vroeger ook gehad, maar is het kwijt. En we hebben gelezen hoe ridder Rowan in de kelder van het kasteel gaat slapen, en daar een droom van de rovers ziet, waardoor hij ontdekt waar het glittergoud verborgen ...'
'Wat moet dat hier allemaal?' vroeg een zware stem in de deuropening.

13. Afspraken

Even dacht Tijn dat de struikrovers teruggekomen waren. Gelukkig was de zware stem die informeerde wat de kinderen in de schoolbibliotheek deden van meneer Theo. Hoewel de directeur heel streng kon zijn, had Tijn toch liever met hem te maken dan met die woeste struikrovers.
'Ik ben de bibliotheekassistent van juf Susan, meneer,' antwoordde Rutger beleefd. 'Daarom ben ik tijdens de pauze vaak in de schoolbibliotheek om de boeken netjes te ordenen en andere klusjes te doen.'
De directeur knikte.
'Van die afspraak ben ik natuurlijk op de hoogte,' zei hij al iets vriendelijker. 'Maar het is niet de bedoeling dat je je vriendjes uitnodigt om hier te komen spelen.'
'We spelen niet, meneer. We zijn hier vanwege een opdracht voor de Boekenbende,' legde Samira rustig uit. 'We werken samen aan een spannend boek. Kijk maar, dit is ons aantekeningenschrift.'
Meneer Theo wierp een belangstellende blik op de aantekeningen van Samira en knikte goedkeurend.
'Wel rustig doen en alles weer keurig opruimen,' zei hij, en hij deed de deur van de schoolbibliotheek zorgvuldig achter zich dicht.
Tijn keek Samira bewonderend aan.
'Je hebt niet eens gejokt,' zei hij. 'Wij werken echt

aan een opdracht voor de Boekenbende!'
'Maar die opdracht hebben we van A.F. Bos gekregen, niet van juffrouw Susan,' zei Rutger bezorgd. 'Ik hoop dat meneer Theo nu niet naar de koffiekamer gaat en de juf daar toevallig tegenkomt.'
Samira schudde haar hoofd.
'Ik zit bij juf Susan in de klas en zij heeft vanochtend opgebeld dat ze voorlopig niet kan komen werken,' vertelde Samira. 'Ze zal wel griep hebben of zo. Wij hebben in ieder geval de halve ochtend op een invaljuf zitten wachten. Daarom had ik ook zoveel tijd om mijn aantekeningen bij te werken. Mag ik straks HLB trouwens meenemen om in de klas te lezen? Dan kan ik er vanavond thuis een samenvatting van schrijven.'
Tijn haalde *Ridder Rowan in Duisterwoud* uit zijn rugzak en gaf het aan Samira.
'Ik wil het boek wel graag terughebben zodra de school uit is,' zei hij een beetje bezorgd. 'Vanmiddag heb ik voetbaltraining, dus dan kan ik niet afspreken, maar het lijkt me het beste als ik het boek voordat ik ga trainen weer op dezelfde plek bij mij thuis verberg.'
Dat vonden de andere leden van DGB ook veiliger. Samira wilde het boek graag lezen, maar nam het liever niet mee naar huis, omdat zij haar slaapkamer deelde met een zeer nieuwsgierig zusje.
Rutger durfde het boek amper vast te houden, uit angst dat de struikrovers plotseling op hem af zouden stormen. En Emma vond één nachtheksennachtmerrie wel genoeg en was bang dat het boek

de nachtheksjes misschien aantrok. Bovendien was ze blij dat haar buurjongen een goede geheime bergplaats had, waar niemand het boek kon vinden.
'Zullen we morgen weer als DGB bij elkaar komen?' vroeg Emma. 'Ik vind dit echt hartstikke leuk!'
Tijn knikte. 'Morgenochtend neem ik HLB mee terug naar school, Samira laat ons dan de samenvatting van het verhaal lezen, Rutger brengt het adres van uitgeverij Toenmaals mee, en jij ...'
Tijn wist eigenlijk geen taak voor zijn buurmeisje te bedenken.
'Ik zal het belangrijkste wel weer doen,' zei Emma met een grijns. 'Ik breng snoepjes mee!'

14. Heksenkooi

'Goed op *Het Laatste Boek* passen, Harrie,' fluisterde Tijn tegen zijn goudhamster toen hij die avond naar bed ging. 'Als de struikrovers je kooi optillen, mag je in hun vingers bijten. En voor de lelijke nachtheksen hoef jij niet bang te zijn, want die passen niet tussen de spijlen door.'
Tijn maakte een grapje, maar terwijl hij het zei, zag hij opeens de mogelijkheden van de hamsterkooi. Nachtheksen konden vliegen op hun ritselende bezemstelen. En met hun knisperspreuken konden ze dromen stelen en nachtmerries tevoorschijn toveren.
Daarom had Tijn daarnet zijn raam goed dichtgedaan.
Maar verder hadden nachtheksen geen enkele toverkracht. Bovendien waren zij precies even groot als een goudhamster ...
'Ik ga een nachtheks vangen, Harrie,' fluisterde Tijn vastberaden. En om te voorkomen dat hij zich nog zou bedenken, ging hij meteen aan de slag.
Tijn trok zijn bureaulade open en haalde die leeg. Daarna strooide hij er wat houtwol in en zette daar Harries eetbakje op.
'Jij gaat logeren, Harrie,' zei Tijn terwijl hij de hamster naar de lade bracht. 'Ik heb je kooi vannacht voor iemand anders nodig.'

Tijn plaatste de lege hamsterkooi naast zijn bed, met het luikje in het deksel wijd open.
Vervolgens liep hij naar het slaapkamerraam, schoof de overgordijnen opzij en zette het raam wagenwijd open.
'Poeh, wat heb ik het warm!' jokte Tijn voor het geval een oplettend nachtheksje toekeek en zich afvroeg wat hem plotseling mankeerde.
Langzaam liep Tijn terug naar bed, niet alleen het raam, maar ook de overgordijnen openlatend, zodat het wat lichter was in zijn slaapkamer.
Hij stapte in bed en knipte het leeslampje uit.
Nu kon het nachtheksje komen: Tijn was er klaar voor!

Een halfuur later lag Tijn nog steeds te wachten.
Hij had de hoop al bijna opgegeven, toen hij eindelijk geritsel bij het raam hoorde.
Snel deed Tijn zijn ogen dicht en probeerde rustig te ademen, alsof hij diep sliep en er de prachtigste dromen bij hem te halen waren.
Een paar tellen later ritselde er al iets rond zijn hoofd.
Tijn bleef doodstil liggen en wachtte geduldig tot het nachtheksje stil bleef hangen naast zijn rechteroor.
Op dat moment bracht Tijn zijn hand vliegensvlug omhoog. Hij greep het nachtheksje stevig vast, duwde haar door het openstaande klepje de hamsterkooi binnen, en deed het klepje snel dicht.
Even dacht Tijn dat hij te wild was geweest en het

nachtheksje per ongeluk plat had geknepen, zo stil bleef ze op het zaagsel liggen.
Maar toen hij het licht aanknipte, zag hij tot zijn opluchting dat ze hem woedend aankeek.
'Dag mevrouw,' zei Tijn zo beleefd mogelijk. Hij wist niet zeker of het kleine nachtheksje wel een mevrouw was, maar hij wist niet hoe hij haar anders moest aanspreken. 'Het spijt me dat ik u gevangengenomen heb, maar A.F. Bos heeft onze Boekenbende gevraagd zijn boek over Duisterwoud te redden. En nu hoopte ik dat u ons daarbij kon helpen.'
Het nachtheksje keek Tijn zo mogelijk nog bozer aan. Haar ogen werden spleetjes en ze maakte een vreemd, zacht geluid.
'Krzz kkrrzzzz krrrz krz!' knisperde het nachtheksje fel, en ze zag eruit alsof ze Tijn de afschuwelijkste nachtmerrie ooit wilde geven.
Tijn ging ervan uit dat droomspreuken niet werkten zolang hij wakker was. Toch hield hij voor de zekerheid zijn handen beschermend voor zijn oren.
'Het spijt me, maar ik laat u pas uit de hamsterkooi wanneer u mij vertelt wat er allemaal aan de hand is,' zei hij dapper.
'Krz kkrzz krzzzzz!' knisperde het nachtheksje nijdig. Ze stond op, draaide Tijn kwaad haar rug toe en ging zwijgend in een hoekje van de kooi zitten, duidelijk niet van plan om ook nog maar één woord tegen Tijn te knisperen.

15. Gekras

Tijn schrok wakker van gekriebel bij zijn rechteroor.
Snel ging hij overeind in bed zitten.
Het gekriebel kwam van het propje watten dat hij gisterenavond in zijn oor had gestopt. Tijn was bang geweest dat het nachtheksje vanuit de kooi ook enge droomspreuken naar hem toe kon knisperen.
Ze was duidelijk niet gewend 's nachts te slapen en had urenlang geprobeerd uit de hamsterkooi te ontsnappen. Gelukkig was dat niet gelukt.
Tijn had het klepje voor de zekerheid dichtgebonden met een ijzerdraadje en was toen zelf maar gaan slapen met watjes in zijn oren.
Inmiddels was het licht geworden en lag het heksje rustig te slapen, diep weggekropen in Harries slaapholletje, met haar bezemsteel naast zich.
Zachtjes stapte Tijn uit bed en schoof de bureaulade open. Harrie de goudhamster lag in een hoekje van de lade waar hij een nieuw holletje had gemaakt. Suffig opende hij één oog.
'Sorry,' fluisterde Tijn en schoof de lade weer dicht.
Tijn kleedde zich stilletjes aan, pakte zijn rugzak en keek nadenkend naar de kooi.
HLB moest vandaag weer mee naar school, maar het nachtheksje kon hij beter hier laten.

Natuurlijk wilde Tijn haar dolgraag aan de andere kinderen van De Geheime Boekenbende laten zien. Maar een heksje mee naar school nemen leek hem niet verstandig.
Tijn besloot dat ze de bijeenkomst van DGB vanmiddag gewoon in zijn slaapkamer konden houden in plaats van in de schoolbibliotheek.
Hij tilde de hamsterkooi op, haalde het boek eronder vandaan en zette de kooi weer op de grond. Boink! Dat ging minder soepel en geruisloos dan hij had verwacht.
Het nachtheksje schoot wakker, sprong overeind en keek verward om zich heen. Toen haar blik daarbij op het boek in Tijns handen viel, was ze opeens klaarwakker.
Het heksje rende naar de tralies, rukte aan de spijlen en probeerde met haar voetjes door de spleten heen naar het boek te schoppen. Bij dat alles begon ze ook nog eens woedend te krassen.
'Kkkrrriiiiiiiiiiiiiiiiiii!' kraste haar kleine stemmetje door Tijns slaapkamer.
Het was een zacht, maar afschuwelijk geluid. Alsof tien kleine nageltjes over een schoolbord krasten. Tijn kreeg er kippenvel van en stopte het boek snel in zijn rugzak.
Het nachtheksje was duidelijk geen liefhebber van *Ridder Rowan in Duisterwoud*, en Tijn hoopte dat ze zou kalmeren wanneer ze het boek niet meer zag. Dat plan werkte.
Het nachtheksje liet de spijlen van de kooi los en ging vermoeid in het zaagsel zitten. Een beetje treu-

rig staarde ze voor zich uit.
Nu het licht was, kon Tijn het nachtheksje eindelijk eens goed bekijken.
Ze was inderdaad niet mooi, maar met haar zwarte stekelhaartjes en rode laarsjes zag ze er best grappig uit.
Tijn liep dichter naar de kooi toe.
'Dag heksje,' zei hij zacht. 'Ik kan jouw geknisper niet verstaan. Begrijp jij wel wat ik zeg?'
Het nachtheksje keek Tijn nijdig aan.
'Kkrzzz krz rrrrz kkkrzz!' knisperde ze giftig, en ze verstopte zich boos in het slaapholletje van Harrie.
'Ik begrijp dat je kwaad op me bent,' zei Tijn met een zucht. 'Ga maar lekker slapen. Ik moet nu naar school. Vanmiddag zal ik je aan mijn vrienden voorstellen. Misschien vind je hen wel aardig.'

16. Verkiezingen

Emma was al naar school en dus liep Tijn alleen naar de schoolbibliotheek.
'Ik heb het boek gelezen en er een samenvatting van gemaakt,' zei Samira, voordat Tijn de kans kreeg zijn grote nieuws te vertellen.

Ridder Rowan in Duisterwoud
Ridder Rowan gaat op zoek naar het gestolen goud en het spoor leidt hem naar Duisterwoud.
Hij slaapt in de kelder van de nachtheksen en ziet in een droom waar de struikrovers het goud verborgen hebben.
Hij zegt tegen de rovers dat ze verkiezingen moeten houden. Elke rover schrijft op wie leider mag zijn. De meeste stemmen gelden!
Terwijl de rovers druk bezig zijn, haalt ridder Rowan stiekem het goud onder het hooi van de paarden vandaan.
Ridder Rowan geeft het goud aan de koning, trouwt met de prinses en leeft nog lang en gelukkig.

'Staat er ook in het boek wie er als hoofdman werd gekozen?' wilde Rutger weten.
Samira schudde haar hoofd. 'Die verkiezing mislukte helemaal,' vertelde ze. 'Ridder Rowan gaf elke rover een papiertje. Daar moest hij de naam van de rover op schrijven die volgens hem de beste hoofdman zou zijn. Maar de rovers schreven allemaal hun eigen naam op het papiertje. En omdat ze geen van allen goed konden lezen en schrijven, kregen ze daarna ruzie. Hun namen leken nogal op elkaar. Dus elke rover schreeuwde dat hij de meeste stemmen had. Daardoor werd het een enorme vechtpartij. En ridder Rowan kon in alle drukte op zijn gemak het glittergoud pakken en er stilletjes vandoor gaan.'
Dat bracht Emma op een idee.
'Misschien hebben de struikrovers zo'n hekel aan het boek omdat het verhaal voor hen niet leuk afloopt,' opperde Emma. 'Ridder Rowan leeft nog lang en gelukkig, maar de rovers hebben door zijn schuld nog meer ruzie gekregen. Bovendien zijn ze het glittergoud kwijt.'
Tijn schraapte zijn keel. Nu kon hij echt zijn mond niet langer houden.
'De nachtheksen hebben ook een hekel aan het boek,' zei hij. 'Ik heb er gisterenavond namelijk eentje gevangen en toen ze HLB zag, werd ze echt woest.'
Die mededeling sloeg in als een bom.
De andere Boekenbendeleden konden het nauwelijks geloven.

Had Tijn echt een nachtheks gevangen?
Hoe dan? Waar was ze nu dan? Had hij haar bij zich?
Tijn vertelde het hele verhaal in geuren en kleuren en genoot van alle aandacht en bewondering.
'Dat je dat durfde,' zei Rutger vol ontzag.
'Mogen we vanmiddag naar haar komen kijken?' smeekte Samira.
'Wat heb je haar te eten gegeven?' wilde Emma weten.
Tijns geluksgevoel was opeens verdwenen. Hij had er geen moment bij stilgestaan dat het heksje misschien honger had.
'Ik weet helemaal niet wat nachtheksen eten,' zei hij ongerust.
'Waarschijnlijk slaapt ze overdag en heeft ze niks nodig,' hoopte Emma. 'Na school gaan we allemaal mee naar jouw slaapkamer. Dan proberen we wel uit wat ze lust.'
Dat stelde Tijn weer enigszins gerust. Toch lukte het hem die ochtend tijdens de les niet om aan iets anders dan het nachtheksje te denken.

17. Brief

'Ik heb in de klas alvast een brief voor A.F. Bos geschreven,' zei Samira toen de school uit was.

Beste meneer Bos,

Maandagmiddag hebt u ons het laatste boek over ridder Rowan in Duisterwoud gegeven en gevraagd of wij het verhaal wilden redden.
Wij hebben Het Laatste Boek gelezen om ervoor te zorgen dat het verhaal in ieder geval in onze hoofden blijft bestaan.
Kunt u ons vertellen wat wij verder nog kunnen doen?
O ja, Tijn heeft gisterenavond een nachtheksje gevangen. Weet u misschien wat die eten?

Groetjes van:
De Geheime Boekenbende

'Als jullie de brief goed vinden, doe ik hem nu meteen in de brievenbus,' zei Samira. 'Rutger heeft mij het adres van uitgeverij Toenmaals gegeven. En van

meneer Theo heb ik een envelop met een postzegel gehad. Hij vond het een goed idee dat onze Boekenbende brieven stuurt naar schrijvers.'
Tijn lachte. Hij was blij dat hij eindelijk naar huis mocht om te kijken of alles wel goed was met het nachtheksje.
'Het is erg handig om een Boekenbende te zijn,' zei hij tevreden. 'Meester Bas vindt ook alles goed wanneer je zegt dat het voor de Boekenbende is.'
Emma gaf Tijn een duw.
'Dat heeft niks met de Boekenbende te maken, sukkel,' zei ze, terwijl ze een zakje dropjes uit haar jaszak tevoorschijn haalde. 'Meester Bas is gewoon verliefd op juf Susan. Daarom vindt hij alles goed waarvan hij denkt dat hij de juf daar blij mee maakt.'
Tijn keek Emma verbaasd aan.
'Hoe weet jij nou dat meester Bas verliefd is op juffrouw Susan?' vroeg hij stomverbaasd.
Emma haalde haar schouders op, terwijl ze dropjes uitdeelde.
'Ik heb al zo verschrikkelijk veel verliefde mensen in televisieseries gezien, dat ik daar verstand van heb gekregen,' beweerde ze. 'Boeken lezen is goed voor je ontwikkeling en zo, maar van televisiekijken leer je ook veel. En om de ondertiteling bij te houden moet je trouwens ook ontzettend snel kunnen lezen.'
De Geheime Boekenbende sloeg de hoek om.
'Kijk, daar woont juffrouw Susan,' wees Emma. 'In het appartement met dat balkon vol planten ...'

Emma viel stil en ook de andere kinderen staarden vol ontzetting naar boven.
Tussen de planten op het balkon van juf Susan stond een houten zitbankje. En op dat bankje zat de dikke struikrover rustig van het zonnetje te genieten.
Alsof dat nog niet erg genoeg was, kwam precies op dat moment de lange struikrover ook het balkon op lopen met een grote gieter in zijn handen.
'De struikrovers hebben juf Susan gevangengenomen en haar huis gestolen,' stamelde Tijn geschokt.

18. Jaszak

'We moeten de politie bellen,' fluisterde Rutger zenuwachtig. 'Ik vond het eigenlijk de hele tijd al te spannend, maar nu wordt het echt gevaarlijk!'
Tijn was het met Rutger eens.
Het was fijn om DGB te zijn en samen te praten over de opdracht HLB te redden. Het was opwindend om een nachtheksje te vangen en in een hamsterkooi op te sluiten. En hoewel het spannend was dat woeste struikrovers een boek van je wilden stelen, bleef zelfs dat alleen maar leuk zolang die rovers zich lieten wegsturen door de schooldirecteur.
Maar nu de struikrovers juffrouw Susan gevangengenomen hadden en haar balkonnetje inpikten, was het opeens helemaal niet meer leuk.
Er moest iets gebeuren en daar had De Geheime Boekenbende hulp bij nodig. Maar wie konden ze om hulp vragen?
'Ik ben bang dat de politie ons niet zal geloven,' zei Tijn ongerust. 'Welke volwassene gelooft nu dat er twee struikrovers uit een oud kinderboek tevoorschijn komen om juf Susan gevangen te nemen?'
'De meester!' antwoordde Emma onmiddellijk.
'Meester Bas zal ons wel geloven. En zelfs als hij denkt dat we te veel fantasie hebben, zal hij voor de zekerheid toch meekomen om te kijken wat er aan de hand is in het appartement van juffrouw Susan.

Hij is verliefd op haar, dus hij wil haar vast graag redden!'
Tijn knikte. Het was inderdaad een goed idee om meester Bas om hulp te vragen. Hun meester kende het boek *Ridder Rowan in Duisterwoud* en zou de struikrovers waarschijnlijk meteen herkennen.
'Als jullie meester Bas gaan halen, ren ik ondertussen op en neer naar huis om te kijken of alles goed is met het nachtheksje,' zei Tijn.
'Oké,' zei Emma. 'We wachten straks op elkaar bij de voordeur van het appartementengebouw!'

Toen Tijn thuiskwam, stond zijn vader met een bezorgd gezicht in de gang, met zijn jas aan.
'Dag jongen,' zei hij. 'Ik ben bang dat Harrie ernstig ziek is. Hij maakt erg vreemde geluiden en weigert uit zijn holletje te komen, ook al schud ik met zijn etensbakje. Ik denk dat we even met hem naar de dierenarts moeten gaan.'
Geschrokken schudde Tijn zijn hoofd. 'Dat is echt helemaal niet nodig, pap,' zei hij vol overtuiging. 'Harrie doet wel vaker vreemd wanneer ik niet thuis ben. Dan mist hij mij en is hij verlegen voor andere mensen. Ik zal wel even alleen bij hem gaan kijken en hem geruststellen.'
Tijn rende de trap op. Hij moest snel zijn als hij wilde voorkomen dat zijn vader het nachtheksje zou zien en allerlei lastige vragen zou gaan stellen. Het zou uren duren voordat zijn vader het hele verhaal begreep en wie weet wat er tegen die tijd allemaal was gebeurd met juf Susan.

Zonder eerst een zorgvuldig plan uit te kunnen denken, opende Tijn de hamsterkooi, greep het nachtheksje en haar bezemsteel, stopte haar in zijn jaszak, en deed de rits zorgvuldig dicht.
Daarna schoof Tijn de bureaulade open, pakte de slapende Harrie op en zette de goudhamster terug in zijn eigen kooi.
Vliegensvlug rende hij de trap af, met zijn hand beschermend om zijn jaszak, zodat het heksje niet al te erg heen en weer zou schudden.
'Alles is weer prima met Harrie, pap,' riep Tijn tegen zijn vader. 'Ga zelf maar even kijken, want ik moet nu echt onmiddellijk weg. We hebben een extra bijeenkomst met de Boekenbende bij juffrouw Susan thuis. Ik weet nog niet hoe laat ik terug ben!'

19. Inbreken

De andere Boekenbendeleden stonden nog niet te wachten bij de ingang van het appartementengebouw. Die waren natuurlijk nog op school en probeerden meester Bas ervan te overtuigen dat juf Susan hulp nodig had.
Omdat de deur ook vandaag weer wijd openstond, besloot Tijn in de grote hal op de anderen te wachten.
Voorzichtig haalde hij zijn hand van de jaszak af. Onderweg hiernaartoe had hij geprobeerd het nachtheksje te beschermen tegen hard heen en weer schudden.
In het begin had hij gevoeld hoe het heksje wild om zich heen schopte en sloeg, woedend over de nieuwe gevangenis, die veel kleiner was dan de hamsterkooi.
Nu voelde Tijn echter geen enkele beweging meer. Het was doodstil in de hal en toch hoorde hij het heksje ook niet ritselen, knisperen of krassen.
Ongerust boog Tijn zich naar zijn jaszak.
Nu hoorde hij wel een ander geluid. Het was een heel zacht geluidje dat hij het nachtheksje nog niet eerder had horen maken.
Het duurde even voordat Tijn begreep dat hij haar hoorde smakken. Het heksje was aan het eten!
Opgelucht ging Tijn weer rechtop staan.

Toen ze uit school kwamen, had Emma hem een dropje gegeven. Omdat ze op dat moment net de struikrovers op het balkon van juf Susan ontdekten, had hij het dropje in zijn jaszak gestopt. En zo te horen waren nachtheksjes dol op drop!
Door de glazen wand van de hal zag Tijn de andere Boekenbendeleden aankomen. Voor hen uit liep meester Bas, die met grote stappen meteen recht op Tijn afkwam.
'Wat is dit allemaal voor onzin?' vroeg hij streng. 'Waarom beweer jij dat je een nachtheksje hebt gevangen? Zoiets kan helemaal niet!'
Tijn begreep dat hij meester Bas moest bewijzen dat het wel kon.
Zwijgend deed hij de rits van zijn jaszak open en wees naar het nachtheksje, dat druk bezig was het dropje op te eten. Verbaasd keek ze omhoog, maar voordat ze de kans kreeg op haar bezemsteel te springen en zijn jaszak uit te vliegen, deed Tijn de rits weer dicht.
'Hemeltjelief,' zuchtte meester Bas. 'Nu zijn er nog twee mogelijkheden: óf ik droom óf Susan wordt echt gevangengehouden door twee struikrovers die in een oud kinderboek thuishoren.'
'Of dit nu een droom is of echt, u moet juf Susan in ieder geval redden!' meende Emma.
De kinderen hadden meester Bas altijd al een fijne meester gevonden. Hij maakte leuke grapjes, kon mooie verhalen vertellen en zorgde er altijd voor dat er in zijn klas niet werd gepest.
Nu bleek meester Bas ook nog te beschikken over

eigenschappen die erg handig waren wanneer je een gevangen juffrouw wilde bevrijden.
'Volg mij,' zei meester Bas, en hij sloop de trappen op, en de gangen door, op weg naar nummer vijfendertig.
Eenmaal bij de voordeur aangekomen, haalde meester Bas een bankpasje uit zijn broekzak.
Behendig stak hij het pasje in de kier naast het slot, schoof het heen en weer en slaagde erin het deurslot te ontgrendelen.
'Bent u eigenlijk een inbreker die overdag doet alsof hij een meester is?' informeerde Emma fluisterend.
'Welnee,' fluisterde meester Bas terug. 'De beveiliging van dit gebouw is gewoon waardeloos. Als dit voorbij is, zal ik hier een fatsoenlijk slot in zetten.'
De voordeur stond nu op een kier en meester Bas gluurde voorzichtig naar binnen.
'Juf Susan zit aan de tafel met haar rug naar ons toe, maar de struikrovers kan ik hiervandaan niet zien,' fluisterde hij. 'Omdat die rovers verzonnen boekenfiguren zijn, denk ik dat het het beste is om te doen alsof we bij hun verhaal horen. Loop achter me aan naar binnen en speel mee!'

20. Leerlingen

'Gegroet, prinses Susan,' zei meester Bas met luide stem. 'In opdracht van de koning zijn wij naar dit kasteel gekomen met een belangrijke boodschap.'
Verbaasd keek juffrouw Susan op van de taalschriften die ze zat na te kijken.
'Dag Bas,' zei ze, en ze begon te blozen. 'Ik had helemaal niet verwacht dat je op bezoek zou komen. Ik heb de bel ook niet gehoord. Hebben mijn leerlingen de deur voor jullie opengemaakt?
Nu was meester Bas aan de beurt om verbaasd te kijken. 'Leerlingen?' herhaalde hij onzeker. 'Ik ... ik had gehoord dat jij in gevaar verkeerde ...'
Juffrouw Susan stond op en liep naar meester Bas toe.
'En toen ben je hierheen gekomen om mij te redden,' begreep ze. 'Wat lief van je. En ook zo ontzettend dapper!'
Juf Susan pakte de handen van meester Bas vast en keek hem vol bewondering en dankbaarheid aan.
Tijn vond dat het nu wel erg klef werd.
'Toen we uit school kwamen, zagen we twee mannen op uw balkon,' legde hij aan juffrouw Susan uit. 'Het waren dezelfde mannen die maandagmiddag de schoolbibliotheek binnen wilden klimmen. En die mannen lijken sprekend op de struikrovers die in een oud kinderboek getekend staan.'

Juf Susan knikte en liet de handen van meester Bas weer los, hoewel ze opvallend dicht bij hem bleef staan.
'Ik heb het boek *Ridder Rowan in Duisterwoud* als kind vaak gelezen,' zei ze. 'Toen ik die twee woes-telingen voor het raam van de schoolbibliotheek zag staan, schrok ik ontzettend. Ik herkende hen onmiddellijk! Omdat ik meende dat figuren uit een boek niet echt rond kunnen lopen, raakte ik in de war. Ik dacht dat ik moest slaapwandelen of hoge koorts had of zo. Daarom ben ik snel naar huis gegaan om even rustig op bed te kunnen liggen.'
Nu pakte meester Bas de handen van juf Susan vast en streelde die troostend.
'Na een uurtje ben ik opgestaan om *Ridder Rowan in Duisterwoud* te zoeken,' vertelde de juf. 'Maar hoewel ik mijn hele boekenkast leeghaalde, kon ik het boek nergens vinden.'
Tijn knikte. Hij had gezien wat een rommel het toen was in juf Susans huiskamer. De bank, de vloer, de eettafel; werkelijk alles had vol boeken gelegen.
'Pas tegen bedtijd herinnerde ik me dat ik mijn oude kinderboeken in de speelgoedkist in de kelder had opgeborgen,' vertelde de juf verder. 'Ik ging dus naar de kelder om het boek te halen. Daarna kroop ik in bed en las het in één ruk uit.'
Samira lachte. Zij las boeken ook altijd zo snel uit.
'Die nacht sliep ik nauwelijks, omdat ik steeds dacht dat ik nachtheksen hoorde ritselen,' ging juf-frouw Susan verder. 'En toen ik eindelijk in slaap

viel, werd ik al snel weer wakker van gerommel in de huiskamer. Half slapend ging ik kijken en ik betrapte de struikrovers, die mijn huis waren binnengeslopen. Ik dacht dat ik droomde en was dus helemaal niet bang. Ik werd juist erg boos! Ik gaf de struikrovers de opdracht honderd keer *Ik besta niet echt* op te schrijven en kroop mijn bed weer in. Maar toen 's ochtends de wekker afliep, zaten de rovers nog steeds in mijn huiskamer met een leeg papier voor zich. Ze vertelden dat ze uit Duisterwoud kwamen en dat ze niet goed konden schrijven. Ik begreep er niks van, en dat doe ik nog steeds niet, maar ik vond het mijn plicht hen te helpen. Daarom heb ik meneer Theo gebeld dat ik niet kon komen werken. Sinds die tijd geef ik de rovers hier les!'

'Dus de struikrovers zijn nog steeds in uw appartement,' begreep Rutger benauwd.

'Jazeker, ze logeren hier,' zei juf Susan. Ze liep naar een slaapkamerdeur, klopte aan en riep: 'Jongens, kom je eens netjes voorstellen aan ons bezoek!'

21. Brutus en Rufus

Met open mond keek de Boekenbende naar de twee struikrovers, die gehoorzaam uit de logeerkamer kwamen. Ze zagen er nu minder woest uit. Hun gezichten waren gewassen en hun haren netjes gekamd.
'Dag meneer,' zei de dikste rover beleefd, terwijl hij meester Bas een hand gaf. 'Mijn naam is Brutus.'
'En ik heet Rufus,' vertelde de langste braaf.
De struikrovers gedroegen zich keurig, maar het was juf Susan nog niet gelukt hun te leren rustig te praten.
Hun zware stemmen galmden door de flat, waardoor het nachtheksje haar dropje opeens niet meer lustte.
Ze begon net zo woedend en schel te krassen als toen ze *Het Laatste Boek* had gezien in Tijns slaapkamer.
'Kkkrrrrriiiiiiiiiiiiii!' klonk het vanuit Tijns jaszak.
Het gekras bezorgde iedereen kippenvel, maar de struikrovers schrokken er het ergst van.
Ze sprongen van schrik een halve meter de lucht in en vluchtten toen snel naar de logeerkamer.
'Wat was dat voor geluid?' vroeg juf Susan verbaasd.
'Ik heb gisterenavond een nachtheksje gevangen,' zei Tijn. 'Als u een kooitje hebt, kan ik haar laten zien.'

Juffrouw Susan had geen kooitje, maar wel een grote zeef waar het heksje prima onder paste.
'Kkkrrz krrrz krzzz!' knisperde het nachtheksje boos, terwijl ze op de huiskamertafel stond en alle aanwezigen nijdig aankeek vanonder de zeef.
'O, wat is ze leuk!' riep Emma. 'Ik wil ook een klein nachtheksje!'
'Ze is wel erg vies,' merkte Samira verbaasd op.
'Dat komt doordat ze drop heeft gegeten,' legde Tijn uit.
'Krrrz krrrrrzz,' knisperde het nachtheksje enthousiast.
'Maar waarom begon ze zo boos te krassen toen ze Brutus en Rufus hoorde praten?' vroeg juf Susan.
'Kkkrrrrriiiiiiiiiii!' kraste het nachtheksje opnieuw.
'Nu is het afgelopen met dat akelige gekras!' zei juffrouw Susan streng. 'Ik ga Brutus en Rufus halen. Als jij boos op die jongens bent, kun je rustig vertellen wat er aan de hand is. Krassen lost niks op!'
'Kkrrzz,' knisperde het nachtheksje braaf. En ook toen Brutus en Rufus terugkwamen, bleef ze keurig kalm.
De rovers hadden het moeilijker. Ze bibberden en beefden zodra ze het nachtheksje zagen en wilden zich opnieuw verstoppen in de logeerkamer, maar dat mocht niet van de juf.
'Eerst wil ik weten wat er aan de hand is,' zei ze streng.
'De nachtheksen zijn boos op ons,' stamelde Brutus.

'Omdat wij *Het Laatste Boek* niet verscheurd en verbrand hebben,' bibberde Rufus.
'Wij zullen nooit meer rustig slapen,' snotterde Brutus.
'De nachtheksen zullen elke avond nachtmerries in onze oren knisperen,' huilde Rufus.
'Welnee, ruzies zijn er om opgelost te worden,' stelde juf Susan de rovers gerust. 'Maar wat is *Het Laatste Boek* en waarom moeten jullie dat verbranden?'
Brutus en Rufus durfden niet naar het heksje te kijken. Naar hun laarzen starend deden ze hun verhaal.
'Op een nacht vond het kleinste nachtheksje de weg van Duisterwoud naar Lezerswereld,' snifte Brutus.
'Ze kroop uit het boek en las wat er op de kaft geschreven stond,' snotterde Rufus.
'Ze zag dat die geniepige schrijver de heksen op de achterkant van het boek "lelijk" noemde,' snufte Brutus.
'Toen de andere nachtheksen dat hoorden, werden ze woedend,' bibberde Rufus.
'Ze kwamen naar onze hangmatten en stuurden ons naar Lezerswereld om alle boeken over Duisterwoud te vernietigen,' stamelde Brutus.
'De nachtheksen gingen met ons mee. Ze doorzochten alle boekenkasten in het land en lieten ons elk boek over Duisterwoud stelen,' jammerde Rufus.
'Maar de schrijver vluchtte met zijn eigen boek. Hij was ons steeds te slim af en bracht *Het Laatste Boek*

naar een school toe. En toen stuurde de strenge schoolleider ons weg,' huilde Brutus.
'Daarna braken we hier in en toen vergaten we *Het Laatste Boek* omdat juffrouw Susan ons leerde lezen en schrijven,' snikte Rufus.
'Kkkrz krrz kkkrzzzz krrrrrz krz!' knisperde het heksje.
De angst voor het nachtheksje won het van het ontzag voor juffrouw Susan en de struikrovers renden terug naar de logeerkamer.

22. Verdwijnen

'Kkrrrrrrrrrrrrrz!' knisperde het nachtheksje tevreden toen ze de struikrovers zag vertrekken.
'Jij hoeft echt niet trots op jezelf te zijn, jongedame,' sprak juf Susan haar streng toe. 'Samen met je zusjes heb je die twee jongens ontzettend bang gemaakt. Zó bang, dat ze bijna alle boeken waarin over jullie wordt geschreven, vernietigd hebben. Heb je enig idee wat er met Duisterwoud en zijn bewoners gebeurd zou zijn als ze ook *Het Laatste Boek* verbrand hadden?'
Het heksje keek juf Susan verbaasd aan. Ze begreep niet wat de juffrouw bedoelde.
'Samira, kun jij dit domme nachtheksje uitleggen wat er gebeurt met verhalen die niemand meer leest, en dus ook met de verzinsels die in die verhalen wonen?' vroeg juf Susan.
'Die verhalen en verzinsels worden vergeten,' antwoordde Samira. 'Ze verdwijnen langzaam en bestaan dan niet meer.'
Daar schrok het nachtheksje erg van, dat was duidelijk te zien en jammer genoeg ook te horen.
'Kkkrrrrriiiiiiiiiiiiiiiiiiiiii!' kraste het heksje zenuwachtig, terwijl ze nerveus naar de slaapkamerdeur wees waar de struikrovers net door verdwenen waren.
'Nu niet die twee jongens de schuld geven,' zei juf

Susan streng. 'De oorzaak van alle problemen is dat jij en je zusjes boos werden omdat de schrijver op de kaft van het boek heeft geschreven dat jullie lelijk zijn.'
'Kkkrrzz krzzz krrzzzzz,' knisperde het heksje terwijl ze naar de gesloten slaapkamerdeur bleef wijzen.
Tijn liep naar het heksje onder de zeef toe.
'Van alle figuren in Duisterwoud vind ik jullie het leukst,' zei hij. 'Ridder Rowan wil alleen maar stoer zijn, die prinses is misschien wel mooi maar vast heel saai, en de struikrovers zijn gewoon echt ongelofelijk dom.'
Met die laatste opmerking was het nachtheksje het duidelijk helemaal eens. Ze knikte alsof ze nooit meer op zou houden, bleef naar de slaapkamerdeur wijzen, en knisperde opgewonden.
'In verhalen worden heksen altijd lelijk genoemd,' zei Rutger zacht. 'Dat hoort gewoon zo. En "lelijk als de nacht" is een bekende uitdrukking. Volgens mij is dat helemaal geen belediging wanneer je een nachtheks bent, maar juist een compliment.'
Daar moest het heksje even over nadenken. Toen klaarde haar gezichtje langzaam op en glimlachte ze.
'Krrrrrrrrrrrrrz,' knisperde ze blij.
'Als ik mee mocht doen in jullie verhaal, zou ik een nachtheks willen zijn,' vertrouwde Emma het gevangen nachtheksje toe. 'Het lijkt me geweldig om de dromen van andere mensen te kunnen zien. Dat is net zoiets als televisiekijken, maar dan nog veel leuker. Ik zou ze alleen geen nachtmerries bezorgen, want dat is nogal gemeen. Die ene nachtmerrie die

ik van jou gekregen heb, over die waterdraken, was echt afschuwelijk. Al dat water ...'
Emma werd onderbroken door het nachtheksje, dat opnieuw begon te krassen.
'Kkkrrrrriiiiiiiiiiiiiiiiiiiii!' kraste ze, en ze wees nu naar de kier onder de slaapkamerdeur, waardoor plotseling water de huiskamer in stroomde.
Geschrokken rende juffrouw Susan naar de deur en rukte die open.
'Wat zijn jullie in hemelsnaam aan het doen?' riep ze de twee struikrovers bij de wastafel toe.
'Wij zijn *Het Laatste Boek* aan het vernietigen, zoals de nachtheksen ons hebben opgedragen,' antwoordde Brutus.
'Maar omdat juffrouw Susan ons verboden heeft boeken te verscheuren of te verbranden, zijn we het boek aan het verdrinken,' legde Rufus uit.

23. HALB

Ondanks de lessen van juf Susan waren de twee struikrovers echte rovers gebleven. Het stelen van boeken was de laatste tijd hun specialiteit geworden. Met haar geknisper had het nachtheksje de rovers verteld dat *Het Laatste Boek* in Tijns rugzak zat. Dus toen de struikrovers de huiskamer uit renden, hadden zij die rugzak stiekem meegenomen.
Nu lag *Het Laatste Boek* kletsnat in de wasbak van de logeerkamer.
Meester Bas had de stop er snel uit getrokken, maar het boek was doorweekt en zodra je een bladzijde aanraakte, scheurde die doormidden.
'Ik kan mijn haarföhn pakken en het droogblazen,' bedacht juf Susan, die de struikrovers een dweil gaf om de vloer droog te maken.
'Föhnen helpt niet,' wist Rutger uit ervaring. 'Dat heb ik ooit met een woordenboek geprobeerd, maar toen de pagina's droog waren, scheurden ze toch nog.'
'Wat moeten we dan doen?' riep Emma zenuwachtig. 'Straks verdwijnt dat grappige nachtheksje!'
'Krrrrzzzzzzzz,' knisperde het heksje verdrietig.
Tijn keek verslagen naar zijn rugzak. Wat ongelofelijk dom van hem dat hij HLB niet beter in de gaten had gehouden met die stelende struikrovers in de buurt.

A.F. Bos had beter een andere Boekenbende om hulp kunnen vragen. DGB had jammerlijk gefaald. De struikrovers hadden nu ook *Het Laatste Boek* te pakken gekregen en daarmee waren alle boeken van *Ridder Rowan in Duisterwoud* voorgoed weg. In geen enkele boekenkast kon je ...
Wacht eens ...
'Dit was *Het Laatste Boek* helemaal niet!' riep Tijn opgelucht uit. 'Dat dacht de schrijver wel, maar juf Susan had óók nog een boek over Duisterwoud. Dat boek stond alleen niet netjes in een boekenkast, maar lag tussen oud speelgoed in een kist in de kelder. Daardoor hebben de nachtheksen dat boek nooit gevonden!'
Juf Susan haalde opgelucht adem. 'Natuurlijk! Je hebt helemaal gelijk, Tijn,' zei ze.
Snel liep juf Susan naar haar eigen slaapkamer en ze kwam terug met een vergeeld kinderboek.
'Hier is *Het Aller Laatste Boek*!' zei ze triomfantelijk.
'Kkrrrrrrzz krrrrrrz,' knisperde het nachtheksje blij, en ze lachte zelfs lief naar het boek waar ze eerst zo'n hekel aan had gehad.
Daarna knisperde het nachtheksje nog een heleboel tegen Brutus en Rufus, die haar geknisper gewoon konden verstaan.
'We mogen geen boeken meer vernietigen,' vertaalde Brutus.
'En ze belooft dat zij en haar zusters ons voortaan alleen nog mooie dromen zullen geven als we nu die zeef oppakken en kapotstampen,' vertelde Rufus.

Juf Susan knikte. 'Laat het nachtheksje maar vrij en ga met haar mee terug naar Duisterwoud, waar jullie thuishoren,' zei ze.
Dat lieten de rovers zich geen twee keer zeggen.
Brutus greep de zeef en brak die doormidden.
Rufus pakte *Het Aller Laatste Boek*, riep: 'Volg mij!' en rende naar de logeerkamer met Brutus en het nachtheksje achter zich aan.
De deur viel dicht, ze hoorden het heksje enthousiast krassen en de struikrovers woest joelen, en toen werd het plotseling doodstil in de logeerkamer.
Juf Susan deed de deur open.
Op het bed lag *Het Aller Laatste Boek*. Verder was de kamer verlaten. De verzinsels waren terug naar Duisterwoud.
'Ik zal het verhaal voortaan elk jaar voorlezen in de klas,' zei juf Susan.
'Ik ook,' beloofde meester Bas en hij pakte de hand van juf Susan weer vast. 'Hopelijk is dat voldoende om Duisterwoud te redden.'

24. Post

'Emma, ga jij vandaag weer mee naar de Boekenbende?' vroeg Tijn op maandagmiddag.
Hij stond op het schoolplein en keek vragend naar zijn buurmeisje, dat ondersteboven aan het klimrek hing.
'Natuurlijk,' zei Emma, terwijl ze haar handen op de grond zette en met een sierlijke halve salto weer rechtop ging staan. 'Ik wil meer gaan lezen. Ik heb namelijk ontdekt dat ik vooral van mooie verhalen hou. Of ik die verhalen op de televisie zie, of in een boek lees, dat maakt me niet zo veel uit.'
'Kom mee dan,' zei Tijn.

Aan de tafel in de schoolbibliotheek zat juf Susan, samen met Samira, Rutger en nog een aantal nieuwe Boekenbendeleden.
'Dag Tijn en Emma, fijn dat jullie er ook weer zijn,' zei juf Susan. 'Lusten jullie een glas limonade en een koekje? We beginnen vandaag met het lezen van een brief, want onze Boekenbende heeft vanmorgen post gekregen!'
Juf Susan liet een grijze envelop zien, waarop in grote letters *De Geheime Boekenbende* stond geschreven.
'Ik denk dat dit het antwoord van A.F. Bos is,' zei Tijn. 'Vorige week hebben wij hem een brief ge-

stuurd om te vragen hoe we zijn verhaal konden redden.'
Juf Susan haalde de brief uit de envelop en legde hem op tafel, zodat iedereen mee kon lezen.

Beste Geheime Boekenbende,

Wat geweldig dat jullie een nachtheksje hebben gevangen!
Ik ben benieuwd of ze eruitziet zoals ik altijd dacht. Ik kan zelf niet tekenen. En de illustrator van mijn boek 'Ridder Rowan in Duisterwoud' was geen heksenliefhebber.
Hij heeft hen alleen van veraf getekend.

Ik heb jullie 'Het Laatste Boek' gegeven in de hoop dat jullie avonturen tot een nieuw verhaal zouden leiden.
Nu jullie een nachtheksje hebben gevangen, weet ik dat mijn plan is gelukt.
Er is inderdaad een nieuw verhaal ontstaan: 'De Geheime Boekenbende'.
Het verhaal van Duisterwoud en zijn verzinsels zal verder leven in jullie verhaal.

Dankbare groet, Albert Florian Bos

PS: Het heksje eet wat jullie haar geven. Het is nu immers jullie verhaal.

'Wat leuk!' zei Samira enthousiast. 'Meneer Bos schrijft dat alles wat er is gebeurd, met Brutus en Rufus en het nachtheksje, dat dat nu ons verhaal is! Ik hoop dat iemand ook een boek van ons verhaal maakt. Dan kan ik straks een boek lezen waarin ik zelf meedoe!'
Rutger staarde nadenkend voor zich uit. 'Ik weet niet zeker of dat wel kan,' zei hij peinzend.
'Natuurlijk wel!' zei Emma. 'En als ze dan ook een film van dat boek maken, ga ik mezelf spelen in die film!'
Tijn keek met een tevreden glimlach naar de brief. 'Het is ons gelukt!' zei hij vol trots. 'De Geheime Boekenbende heeft de opdracht volbracht!'
De nieuwe Boekenbendeleden begrepen er niets van.
'Waar hebben jullie het over?' vroeg een meisje met blonde krullen. 'Het aantekeningenschrift staat ook al vol dingen die wij niet echt begrijpen. Wat hebben jullie vorige week allemaal gedaan?'
Juf Susan glimlachte. 'Dat zullen we vertellen,' zei ze. 'Neem nog maar een koekje en een glas limonade, want het is een heel verhaal ...'

......

Lief leeskind van dit boek,

Vroeger wisten wij niet dat wij verzinsels waren. Nu weten we dat wij verdwijnen wanneer niemand over ons leest. Dan bestaan wij namelijk gewoon niet meer.

Wij vinden het erg prettig om wél te bestaan. Het is fijn om door de donkere lucht te ritselen en droomspreuken in mensenoren te knisperen. Wij willen graag voor altijd blijven bestaan!

Daarom zijn wij jou erg dankbaar, lief leeskind. Doordat jij dit nieuwe boek helemaal hebt gelezen, kunnen wij weer ritselen en knisperen. Dankzij jouw gelees blijven wij bestaan!

Wij willen jou daarvoor bedanken met een droom. Een droom waar je om kunt lachen. Een droom die je gelukkig maakt. Een droom om trots op te zijn.
Ook beloven we nooit (echt helemaal nooit) een nachtmerrie in jouw oor te knisperen.
(Als je toch ooit een angstdroom krijgt, heb je die zelf verzonnen. Echt waar!)

Zodra we de weg van dit nieuwe boek naar Lezerswereld gevonden hebben, komen we onze mooiste droomspreuk in jouw oor knisperen. Beloofd!

Welterusten, de nachtheksen

Naam:
Carla van Kollenburg

Leeftijd: 52 jaar

Ik woon in: Lezerswereld

Dit doe ik het liefst: dagdromen.

Ik hou helemaal niet van: nachtmerries

Het leukste boek vind ik: *De Heksen* van Roald Dahl

Zo kwam ik op het idee om *De Geheime Boekenbende* te schrijven: ik las dat steeds meer scholen een Boekenbende hebben. Daar was ik blij om, want ik begreep meteen dat Boekenbendes geweldig goed zijn in het redden van verhalen en verzinsels in nood. Dit boek bewijst dat dat inderdaad zo is!

Ik wil heel graag nog een keer een verhaal schrijven over: de grote (gemene) zussen van de nachtheksjes.

Mijn grootste wens is: dat alle mooie dromen uitkomen.

In deze serie zijn verschenen: